Schrijver en lezer

Toon Tellegen
Schrijver en lezer
Gedichten

Met tekeningen van Boris Tellegen

Amsterdam · Antwerpen
Em. Querido's Uitgeverij BV
2011

Voor overname kunt u contact opnemen met Em. Querido's Uitgeverij BV, Singel 262, 1016 AC Amsterdam.

Omslag en vormgeving binnenwerk Steven van der Gaauw
Omslagbeeld Boris Tellegen

ISBN 978 90 214 3963 1 / NUR 306

www.querido.nl

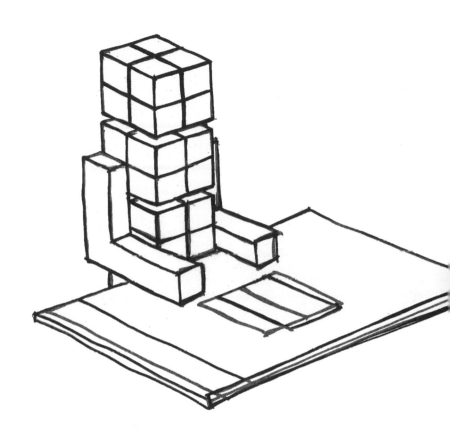

De schrijver bekijkt zijn woorden –
wat zal ik vandaag eens... denkt hij

hij houdt wroeging voor zich, klopt haar uit
en legt haar weg,
laat niettemin door zijn vingers gaan,
snuift de geur van spielerei in zich op,
kijkt peinzend naar zijn afgetrapte zonden op de grond

hij kiest ongeduld en spitsvondigheid
en gaat, gekleed in zijn dagelijkse ik en mij,
met aan zijn voeten zijn trouwe zelfoverschatting,
aan zijn tafel zitten.

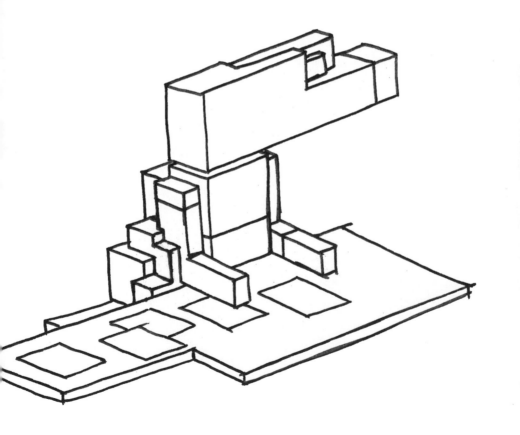

De schrijver stuurt zijn woorden de wereld in

ze gluren door sleutelgaten,
luisteren aan deuren

ze horen het kreunen van filosofen
die zich vergrijpen aan het zijn,
ze zien spandoeken die oproepen tot walging
en rancune:
'Toont Uw Lange Tanden, Nu!'
ze ruiken de geur van ondergang in ranzige trappenhuizen
en waden door wetmatigheden en warrige axioma's

's avonds keren ze terug naar de schrijver –
hij zit voor zijn raam,
hij heeft de hele dag naar ze uitgekeken

ze hebben het koud:
ziekelijkheid, pijnlijkheid, dodelijkheid
en nu

en de schrijver begint te schrijven.

De schrijver is hongerig,
eet jou en mij en de hele tegenwoordige tijd
in één hap op

wat nu? denkt hij
en hij eet nu op en wat
en alle vraagtekens die hij ooit heeft gedacht

en nog is hij hongerig en onverzadigbaar,
en hij eet hongerig op en onverzadigbaar
en de tafel waaraan hij zit (eettafel, eikenhout)
en het hoogste woord
en het staccato van de zon
en nog

de lezer komt ondertussen van honger om.

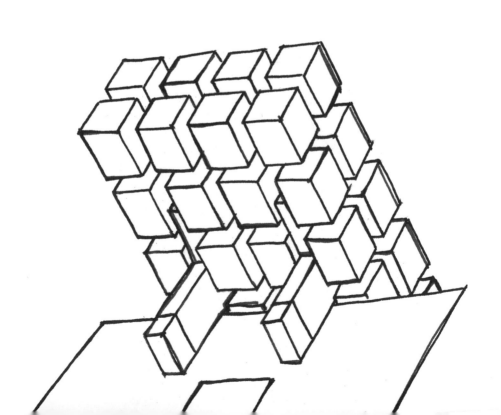

De schrijver wil alleen zijn met de lezer

hij wil dat de lezer wijs en ontvankelijk is
    en met zijn duizenden, miljoenen, op weg ergens heen,
dat hij de schrijver hoort kermen,
dat hij stilstaat, niet weet waar dat nauwelijks hoorbare,
    nauwelijks tot een menselijke stem herleidbare gekerm vandaan komt,
dat hij weer doorloopt met een vaag gevoel van ongerustheid,
    misschien zelfs met een schuldbewustzijn, dat uit zijn slaap is ontwaakt,
en dat hij zijn voeten op zijn verdere weg nog behoedzamer neerzet
    op hem, die hij niet kent

die alleen is met hem.

De schrijver klimt op een tafel,
maant tot stilte
en zegt:
'ik ben de enige hier die van geen enkel belang is'

iedereen klapt en juicht hem toe,
voelt zich duizelig worden van geluk

iedereen ziet hoe de schrijver wankelt,
met plaatsvervangende nederigheid
                    door een lezer wordt opgevangen
en in een verloren hoekje wordt weggezet

het leven is een feest en moet verder

en iedereen fluistert in het oor
                    van iemand in zijn armen:
'o, waren wij ook maar van geen enkel belang, jij en ik...'

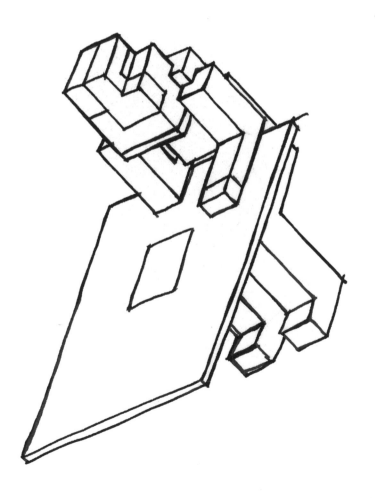

De schrijver bedenkt afgronden
en buigt zich over hen heen,
draait zich na verloop van tijd om
en bedenkt met een uiterste inspanning van zijn verbeelding
God,
hoort God mopperen: 'waarom bedenkt iedereen altijd mij?'
en bedenkt ten einde raad zichzelf

elke dag opnieuw

de lezer is een jongen in een jongenskamer,
er komt een meisje binnen,
zo onverwacht, zo mooi en zo lichtzinnig

en daarna nooit meer.

De schrijver valt zichzelf tegen
en gooit met een grensverleggend gebaar
al zijn woorden uit zijn raam

hij kruipt in bed – niemand wacht op hem –
en denkt:
als ik nu eens heel bedachtzaam en zorgwekkend
mijn overbodigheid
in een nieuw, wereldschokkend idioom beschrijf...

de lezer raapt zijn woorden op, klemt ze aan zijn borst –
wijngaardslak en levenslot –
en valt zonder aanwijsbare redenen of nader overleg
om.

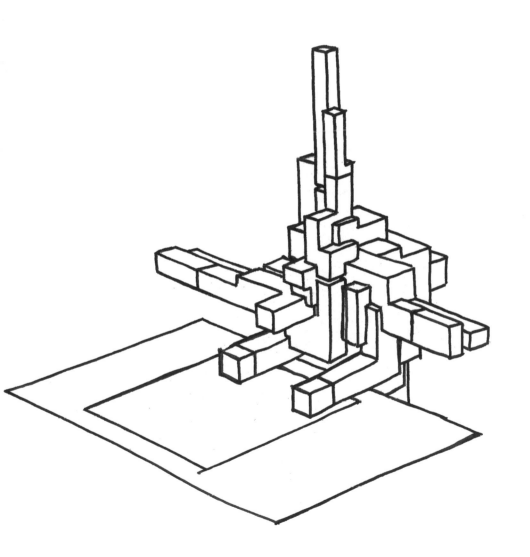

De schrijver vecht met woorden
en de woorden overmeesteren hem,
sluiten hem op in zijn kamer,
nemen de sleutel mee

op gezette tijden schreeuwt de schrijver om hulp

de lezer hoort hem, overpeinst zijn geschreeuw,
vindt het aangrijpend,
maar qua toonzetting vooralsnog intrinsiek ontoereikend

hij komt de schrijver een eind tegemoet
en ziet uit naar zijn volgende schreeuw:
zal die opnieuw van doodsnood getuigen
of nu eindelijk ook eens van vervoering...

hij houdt zijn adem in,
misschien, denkt hij, wil hij míj wel redden!

De schrijver en de lezer staan tegenover elkaar

de lezer wil de schrijver laten schrijven over onrecht
                                    en de onlosmakelijkheid der dingen,
de schrijver wil de lezer laten lezen dat hij... dat wij...
'ik weet het niet,' schrijft hij

ach, wat mooi, denkt de lezer, hij weet het niet...
dát is dus de kwintessens...
hij laat mij voor de zoveelste keer niet alleen...

'eis eenvoud en begrip van mij,' schrijft de schrijver,
                                    met kleine, bijna onleesbare letters,
maar de lezer bewondert de lucide onverzettelijkheid
                                    van zijn onwetendheid

en loopt door.

De schrijver houdt niet van zichzelf

's nachts ligt hij wakker
en dwingt zichzelf nooit, nooit meer
aan zichzelf te denken om wat voor reden ook

het achterhaalde gekreun van een gelovige
dringt door zijn muren heen

's ochtends schrijft hij,
streelt, al schrijvend, zijn schrijvende pen
en denkt:
mijn god, wat is liefde toch gevoelloos en opdringerig...

's middags komt hij zijn strot uit, knippert met zijn ogen
en valt in slaap

's avonds gooit hij zichzelf weg
en wrijft zich in zijn handen.

De schrijver schrijft:
ik moet niets,
maar hij weet dat hij zich vergist
en dat hij ongedurig moet zijn en zich moet haasten,
over zijn eigen woorden moet struikelen, als een bijziende maniak,
al struikelend iets als 'ten naaste bij' of 'inmiddels...' moet schrijven
en een kleine, maar significante en duurzame afstand
                              tussen hem en de wanhoop moet scheppen –
dat alles moet hij,
moet hij nu

de lezer denkt:
ik kan niets –
hij bloost,
zijn moeder aait hem zachtjes over zijn hoofd:
'armoedige jongen van mij...'.

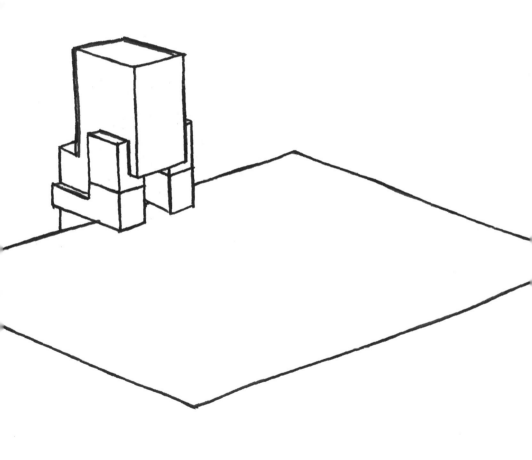

De schrijver denkt:
ik moet een vijand hebben –
hij grijpt zijn pen
en gaat op zoek naar een vijand –
iedereen heeft vijanden, iedereen die gelukkig is

hij zoekt en zoekt
en vindt ten slotte in een uithoek van zichzelf,
verborgen onder drogredenen en vernuft,
de vijand die hij zich wenst –
'wat een prachtige, bloedstollende vijand ben jij,' zegt hij
en trekt hem overeind,
vraagt hem naar zijn motieven

ik ben een lezer, zegt zijn vijand
en legt de schrijver het zwijgen op.

De zon schijnt, het is lente –
de schrijver opent zijn raam
en ziet mensen vechten
            tegen blinde haat en ressentimenten

de schrijver wil iets zeggen, iets van beslissend belang,
zoekt koortsachtig naar zijn zeggingskracht

hij herkent een lezer,
            klem geraakt tussen misbaar en zelfgenoegzaamheid,
'lezer!' roept hij, 'ik ben het, ik ben hier!'

de lezer hoort hem niet,
hij ligt op de grond, hij bloedt –
toeschouwers bewonderen zijn hulpeloosheid

het begint te regenen,
de schrijver verliest de grond voor zijn bestaan,
sluit zijn raam.

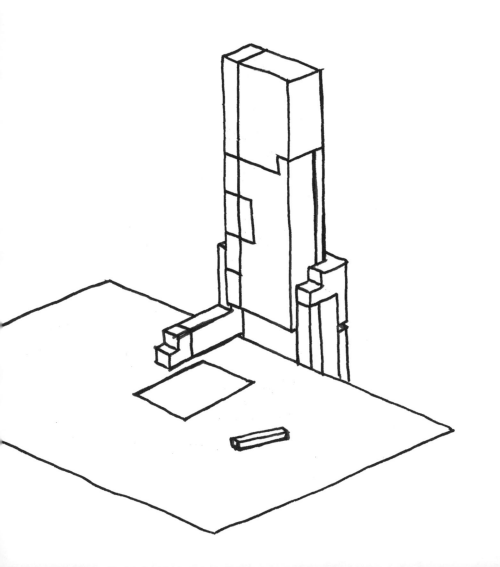

De schrijver verveelt zich,
zoekt een ander woord voor ik:
iemand,
iedereen,
god,
enzovoort...

de schrijver schrijft:
enzovoort verveelt zich,
enzovoort zoekt een ander woord voor enzovoort:
de zon!
die hemelse bolide!
die slaapzieke herkauwer, ziektekiem, nekpijn!
die dokter zonder waarde!

het regent,
de lezer verveelt zich tevergeefs.

De schrijver droomt van een wereld zonder woorden,
waarin mensen geen mensen zijn,
God geen god is
en liefde zich niet verschanst achter zinsbouw en epithetons,
schuilend tegen – tegen wat eigenlijk? onverschilligheid? regen?
een wereld zonder onverschilligheid en zonder regen,

                                        regels, regelmaat

de schrijver knijpt al dromend zijn ogen zo stijf mogelijk dicht –
nooit kneep zo stijf een mens twee ogen dicht –
en droomt als een weergaloos kind

de lezer droomt van woorden zonder wereld,
van verdrinken, luisterrijk, onraad, ongeveer

de lezer sleept zichzelf mee.

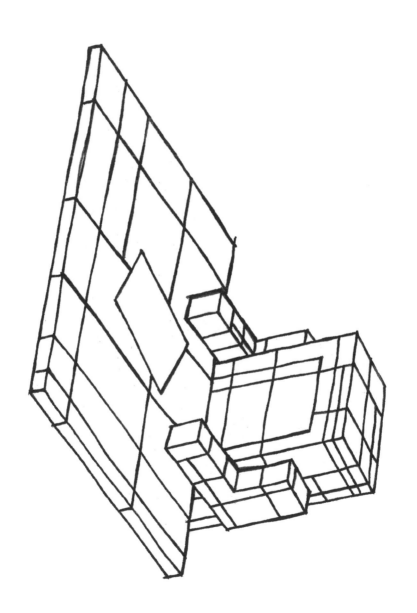

De schrijver komt zijn woorden tegen,
groet ze vriendelijk:
'dag ja! dag nee! dag onweerlegbaar!
dag murw!'

de woorden lopen langs hem heen,
in zichzelf verzonken,
groeten niet terug

'jullie zijn van mij!' roept de schrijver, 'weten jullie dat niet?'
ze kijken niet op

'blijf staan! ik heb jullie nodig, nu!'
ze lopen door,
verdwijnen uit zijn gezicht

de schrijver rilt en gaat naar binnen,
de lezer reikt hem zijn sloffen aan.

De schrijver verontschuldigt zich tegenover zichzelf,
hij is dood,
het spijt hem

hij denkt: wat had ik allemaal nog niet zullen schrijven...
en wie had ik allemaal nog niet gelukkig zullen maken...
hij staat langdurig stil bij zichzelf,
betreurt zichzelf,
neemt zich voor zichzelf nooit te vergeten
en met een mengsel van ontzag en verwondering
                              aan zichzelf te blijven denken,
schraapt zijn keel en vervolgt zijn weg –
hij heeft het druk,
hij is dood

de lezer sterft van jaloezie op hem,
maar niet helemaal.

De schrijver legt zijn pen neer
en buigt zich over het gladde water van de Hypocrisie

o laat ik mijzelf nu niet zien!
denkt hij

hij kijkt en kijkt
en ziet zichzelf niet

en opgetogen en mismoedig neemt hij zijn pen weer ter hand
en schrijft verder, steeds verder,
op weg naar de zee van Lethargie

(waar de lezer al jarenlang in pootjebaadt).

Liefde, wat een woord...

de schrijver gooit het weg
met een gebaar van diepzinnige verachting
en de lezer vindt het, onder het raam van de schrijver,
waar hij dagelijks op iets overtolligs wacht,
kan zijn geluk niet op,
koestert het, streelt het,
fluistert:
'woordje, woordje, als ik jou niet had...'

verliest de laatste resten van zijn verstand.

De schrijver is een slang,
                verjaagd uit het paradijs

maar dat met die appel,
dat hebben ze toch maar aan hem te danken!

hun ontzagwekkende ondankbaarheid, afgunstigheid –
zie ze gluren naar elkaar!

wat zal ik doen? denkt hij,
omzien? verachten?

de lezer is God,
                terugdenkend aan de eerste dag, of liever nog:
het donker daarvoor –
hunkerend naar kuisheid en knusheid
en het wél uitkomen van voorgevoelens en voorspellingen

liefde is ballast.

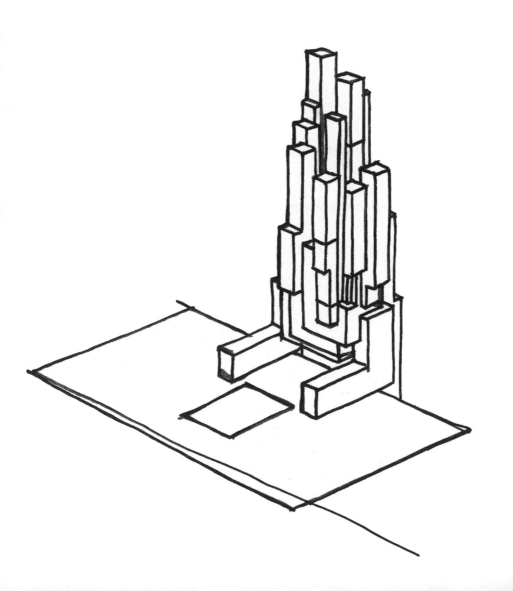

Toen de schrijver de wereld had verbeterd
rustte hij en dacht:
wat zal ik nu eens gaan verbeteren? mijzelf?

iets anders restte er niet

hij dacht langdurig na over zichzelf,
ontleedde zichzelf
en ging na wat er in hem allemaal nog voor verbetering vatbaar was

en de lezer, die daar in het gras lag,
kauwend op een grassprietje,
aan het gezicht van de schrijver onttrokken,
                    maar niet ver van hem vandaan,
hoorde hem krassen in zichzelf

en probeerde begrip voor hem op te brengen.

De lezer ziet zijn kans schoon,
kruipt onder de huid van de schrijver
en denkt:
nu weet hij nooit meer waar ik ben...

de schrijver krabt zich, ontvelt zich tot bloedens toe,
voelt wat hij nog nooit heeft gevoeld
en schrijft:
'jij... o jij...!'

maar er is alleen een ik,
een zwaarwichtig en ontilbaar, kleinzerig ik.

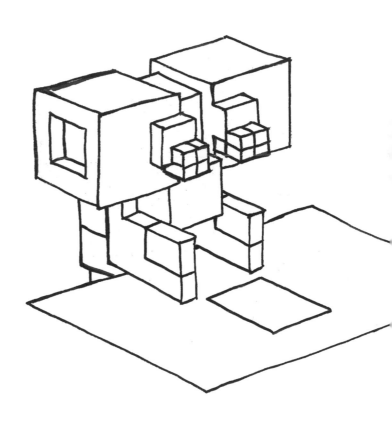

De schrijver bedenkt woorden
die hij niet kan schrijven –
ze zijn te licht, ze lossen op, ze vliegen telkens weg

de schrijver verzwaart ze met nadruk en betrokkenheid,
knoopt ze aan oude woorden vast,
verleent ze bezieling

en de woorden beginnen te scheuren,
ze verspreiden een vreemde geur,
ze kunnen hun betekenis niet aan

de schrijver probeert ze te vergeten,
maar de woorden vergeten hem niet,
klampen zich aan hem vast,
leiden hem in verzoeking

waar de lezer op hem wacht.

De schrijver doet nog één poging,
één laatste poging,
om ongeloofwaardig te zijn

maar de lezer gelooft hem:
zijn oprechtheid,
zijn liefde voor het hoogste woord,
zijn ondubbelzinnige zinnigheid

de schrijver raakt ten einde raad,
begraaft zich in stilte en razernij

maar de lezer duwt iedereen opzij
om nog één zin, desnoods één woord van hem op te vangen,
zijn schrijver,
zijn schrijnende schrijver,
die het voortschrijdende inzicht in de werkelijkheid verwoordt.

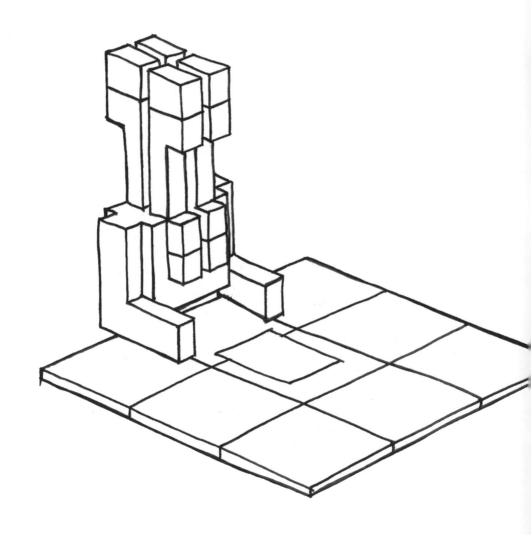

Dit alles is ondraaglijk voor de schrijver:
zijn schijnbare onkreukbaarheid,
zijn afgemeten ongrijpbaarheid,
zijn extravagante kortzichtigheid,
zijn wijdlopige eenduidigheid,
zijn gemelijke gedrevenheid,
zijn nadrukkelijke onzekerheid,
zijn omslachtige geslotenheid

en dit is draaglijk voor de schrijver:
zijn enorme prullenbak

die de lezer voor hem leegt.

De schrijver denkt:
houden de woorden wel echt van mij?

er is maar één manier om daar achter te komen:
hij wijst ze de deur

zullen ze heimelijk weer naar binnen glippen
en hem aan zijn tafel vinden,
slapend? snikkend?
zijn schouders lijken wel te schokken

zullen ze hem wakker schudden,
desnoods zachtjes wakker kussen
en zeggen dat ze altijd, altijd van hem zullen houden?

en zal hij dan wakker blijven –
hun schrijver, hun lieveling –
en zijn woorden geloven?

het is winter,
de lezer staat buiten,
hij wacht, slaat zichzelf warm,
roept:
'en?'

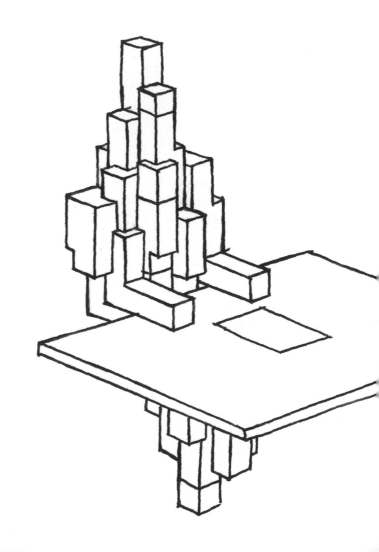

De schrijver voelt een pijn
    die hij niet kan beschrijven

hij wordt woedend,
'ik wil mijn pijn beschrijven,' roept hij,
'anders schrijf ik nooit meer!'

de lezer komt voorzichtig dichterbij
en vraagt de schrijver
    of hij misschien met hem mee zal lijden

'dat is goed,' zegt de schrijver
en de lezer valt, kreunt, kronkelt over de grond,
er staat schuim op zijn mond

'voel je dit?' kermt hij

'ja,' zegt de schrijver
en hij beschrijft met passie en ontroering de pijn
die zij beiden lijden.

De schrijver is op zoek naar zichzelf

zolang hij zichzelf niet ziet of hoort
is hij veilig en schrijft hij door

maar als hij zichzelf in het vizier krijgt
legt hij zijn pen neer,
knijpt één oog dicht en schiet –
ik ben geen schrijver, denkt hij, ik wist het wel –
zijn wanhoopskreten, smeekbeden doen hem niets

hij gooit zichzelf in de gierput van zijn verbeelding

keert terug naar huis, vernieuwt zich
en gaat opnieuw op zoek naar zichzelf.

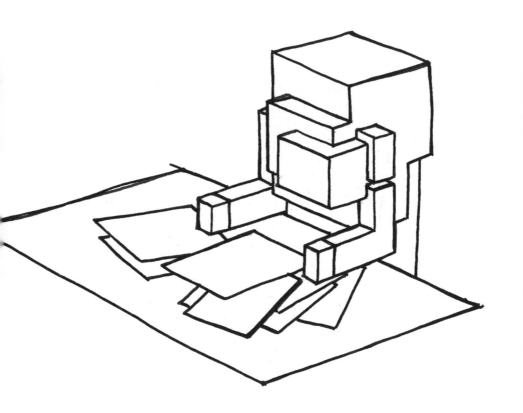

De schrijver schudt aan de boom van ontzetting
en vraagt zich af hoe het met hem zal aflopen:
zal ik doodgaan,
zal ik écht doodgaan?
of zal mij iets overkomen wat ik nog onder woorden moet brengen?

hij schrijft en schrijft,
daarna gaat hij slapen
of een eindje fietsen

kleine wormstekige voorbeeldfuncties liggen in het gras

het is warm,
de schrijver woelt in zijn slaap
of stapt van zijn fiets, wist het zweet van zijn voorhoofd

of beide.

De schrijver wil niet langer over liefde schrijven –
waarom zouden mensen van elkaar houden?
er is daar geen enkele noodzaak toe

hij gooit zijn pen weg, klimt op zijn tafel
en roept:
'nog niet het begin van een noodzaak is daartoe!'

maar telkens als hij niet over liefde schrijft,
wat een enkele keer gebeurt,
opent zich een afgrond voor hem,
net groot genoeg om in te vallen

en de lezer komt binnen, ziet hem vallen,
springt hem achterna.

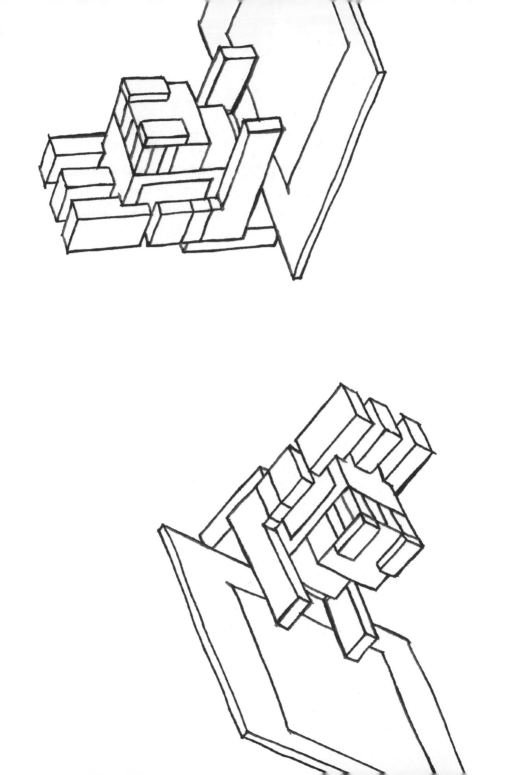

De schrijver vindt een slachtoffer,
een slachtoffer op zijn weg

de schrijver blijft staan en beschrijft het slachtoffer –
dat is mijn plicht, denkt hij, het is mijn slachtoffer –
beschrijft het nauwkeurig en gepassioneerd:
de angstige blik, de pogingen tot verweer,
het bloed uit de mond

als hij is uitgeschreven gaat de schrijver verder,
maar met gespitste oren:
leeft het slachtoffer nog,
hoort hij het nog schreeuwen,
       iets wat het nog niet eerder heeft geschreeuwd?

o, denkt hij, slachtoffers zijn zo verhelderend...

de zon gaat onder,
de zenuwen van de schrijver zijn tot het uiterste gespannen –
dat moet, denkt hij.

Inzicht bekruipt de schrijver,
hij ziet zijn wuivende dood

eenden snateren,
eerzame roeiers roeien op verlichte wijze voorbij:
niet meer schrijven, niet meer schrijven...

de schrijver haat zijn hoogdravendheid,
laat een pijnlijke stilte vallen tusen hem en iedereen

de lezer koestert wat hij niet weet,
maakt lijstjes:
lichte ontvlambaarheid, beslisvaardigheid, liefde...

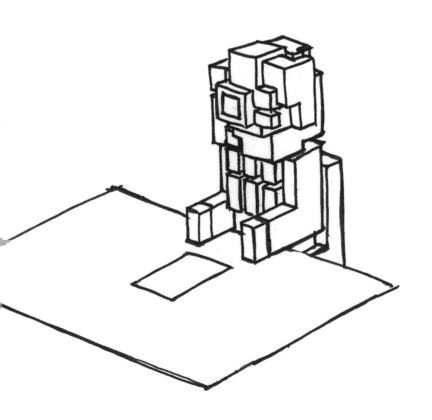

Huurwoorden sporen de schrijver op,
vinden hem onder zijn bed
in het stof van jaren her:
elegisch en morose

desastreus bewaakt de deuren en de dood

aan het graf van de schrijver zegt de lezer,
in zijn misplaatste jasje:
'woorden schieten tekort'

er ontstaan vechtpartijen,
voor- en tegenstanders van onsterfelijkheid gooien met modder
naar elkaar

het regent
en een verschrikkelijke begeerte maakt zich van iedereen meester

en daar blijft het niet bij.

De schrijver is het schrijven moe,
veegt zijn woorden bij elkaar,
verpakt ze in ernst en engagement,
tilt ze op zijn rug
en gaat de wereld in

maar hij wist niet dat woorden zo zwaar konden zijn,
hij strompelt, zwalkt heen en weer –
lezers snellen toe,
zij prijzen de alomtegenwoordigheid van zijn geest,
zijn 'ondanks alles' en 'en toch...'
zijn chronische bovenmenselijkheid,
zijn extravagante gelijkmoedigheid –
de schrijver wuift ze weg, met een gehaast gebaar

als het donker wordt en de weg langzaam omhoog gaat
bezwijkt hij

zijn 'ja' wordt hem fataal.

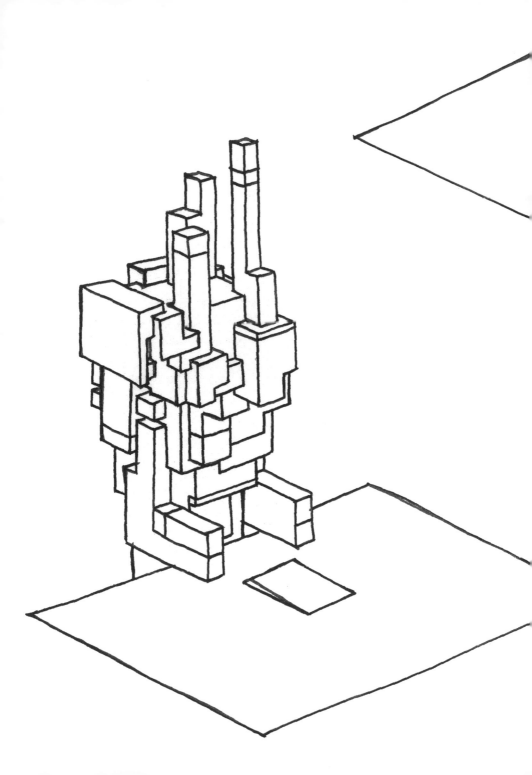

De schrijver legt zijn hoofd,
zijn grote, rode, rondtollende hoofd,
zijn ontoegankelijke, alle wijsheid van de wereld verhaspelende hoofd,
zijn ingevallen hoofd vol onzin en ongelezen boeken
(zijn andere hoofd is thuis, staat op een romp, laat zich volproppen

met feiten en taart)

in de schoot van de lezer
en de lezer streelt zijn haar,
kijkt om zich heen

zoekt een schaal.

De schrijver maakt zijn dagelijkse wandeling,
zijn weg is recht

hij kijkt om zich heen en ziet zichzelf,
haastig, niet op- of omkijkend –
hij herkent zichzelf niet

als hij thuiskomt denkt hij:
        wat vreemd,
            ik kom mijzelf nooit meer tegen...
            hoe zou het eigenlijk met mij gaan...
            er is toch niet iets ergs met mij gebeurd...
zijn hart bonst luid en scherpzinnig

hij gaat aan zijn tafel zitten
en schrijft zichzelf,
smeekt zichzelf om een levensteken –
nooit schreef hij zo pijnlijk en onvervalst

en de lezer leest, herkent zichzelf.

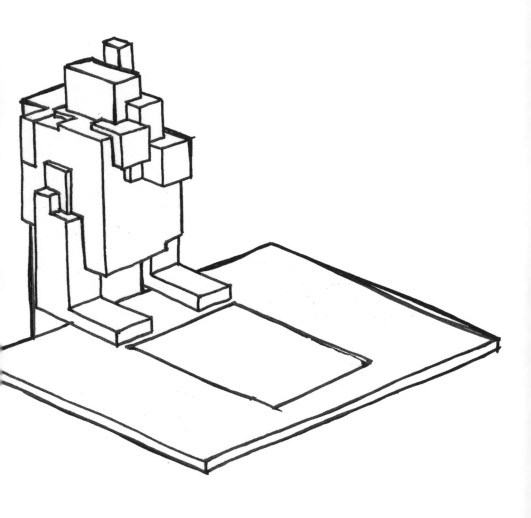

De schrijver maakt een raam
en kijkt nauwgezet naar buiten

de lezer ziet hem staan
en denkt:
hij ziet met zijn scherpe oog voor onvolkomenheid
de schepen die achter mij branden

dan maakt de schrijver snel invallende duisternis
                                    en bloemetjesbehang
en kijkt weer naar binnen,
neemt zich voor zijn blik uitsluitend nog op zijn innerlijk
te richten

de lezer maakt op grond van zijn radeloosheid een gebaar
waarvan hij vermoedt dat het van berusting getuigt
en denkt:
weten schrijvers soms niet dat lezers ook wel eens niet
                                    hadden willen worden geboren?

De schrijver komt thuis –
hij heeft jarenlang nagedacht –
klopt op de deur,
hoort stemmen binnen

ik hoop, denkt hij, dat mijn vader er is,
ik heb hem zoveel te vertellen...

maar zijn vader is dood
en de lezer doet open,
smijt de deur in zijn gezicht weer dicht

de schrijver blijft staan,
slaat zijn kraag op
en begint te schrijven

hij is eindelijk verloren, nu.

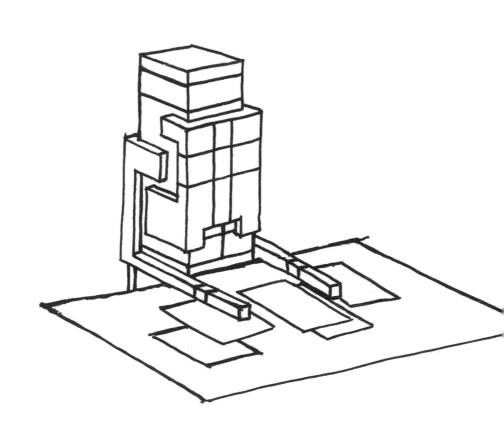

De schrijver weet niet wat de lezer weet –
de lezer houdt het geheim voor hem

de schrijver klampt de lezer aan,
hij wil weten wat het is,
maar de lezer houdt zijn lippen op elkaar

de schrijver móét het weten,
wil anders niet meer schrijven
                            of doen alsof hij leeft

hij gaat op zoek in gebieden
                            waar nog nooit een schrijver schreef,
de grond is er rul en verraderlijk,
de hemel zwart en aftands,
zwermen vuilwitte engelen bestoken hem

de schrijver zoekt langdurig en retrospectief
en de lezer roept:
'schrijver, kom terug, ik zal het je vertellen...'

maar de schrijver kan de terugweg niet vinden,
tast in het duister,
valt, zingt.

De schrijver waarschuwt zichzelf

hij kijkt om,
ziet zijn opgeheven vinger en loopt door,
vlugger en vertwijfelder nog

hij zoekt onraad, onrust, ongeduld,
hij wil worden betrapt, aangehouden, verhoord
en voorgeleid

hij wil zichzelf beschuldigen,
zijn schuld bewijzen:
ik heb het gedaan, ik, ik...

hij wil worden geloofd

hij droomt van een lezer die met zijn sleutels rammelt,
droog brood naar binnen schuift.

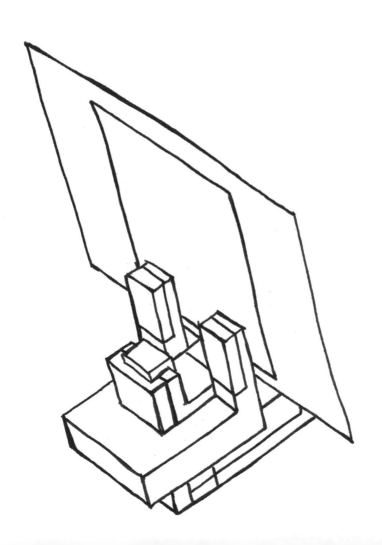

De schrijver zit aan zijn tafel,
schept zichzelf op

eet eerst kleine woorden:
maar en of en en en toch,
slikt ze gulzig door

dan grote woorden:
kwaadbloedig, inzichtelijk, onontzenuwbaar, wezensvreemd,
                                        schraagsgewijs, dweepzucht,
tot hij niet meer kan
en met stoel en al achterover valt –
ach en wee stuiven op

en de lezer komt binnen, roept: 'honger! honger!',
ziet de schrijver liggen,
houdt zijn oor voor zijn mond:

leeft de schrijver nog?

De schrijver bedenkt een vriend,
hij noemt hem mij

je bent mijn beste vriend, schrijft hij, mijn beste kameraad

hij denkt aan mij, droomt van mij,
houdt mij tegen het licht en schat mij op zijn waarde,
je bent alles wat ik niet ben, schrijft hij
en laat mij – in een vlaag van waarachtigheid – uit zijn handen vallen

zijn eer valt met mij mee

hij bukt zich – hij kraakt vervaarlijk! –
en raapt mij op –
er kleeft onrecht aan mij, ongeloof en spijt

de schrijver schrijft:
ik schaam mij in duizend bochten

de lezer ontfermt zich over mij.

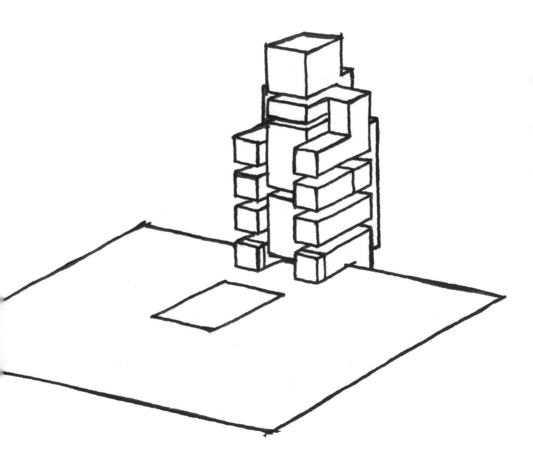

De schrijver verschuilt zich achter zijn woorden

de lezer bezoekt hem,
vindt opzet, weerwil, afstand en verlies,
maar de schrijver niet

hij gaat naar huis
en vertelt iedereen dat de schrijver is gevlogen:
misschien is hij wel dood of anderszins gelukkig!

hij gedenkt hem, prijst hem schuin omhoog de hemel in,
ziet hem brandend neerstorten in de zee van zelfspot

                                        en ontgoocheling

eigent zich zijn woorden toe.

De schrijver koestert schoonheid,
oud zeer
en al het ongenoegen van de wereld

zijn zintuigen slingeren rond als ondergoed, kranten,
Schöner Wohnen

soms, als hij schrijft, staat zijn moeder achter hem,
schudt haar hoofd over hem,
zegt dat hij rechtop moet zitten, nóg rechter, fierder

bezorgdheid is alles wat er van haar rest

zij neemt zijn pen uit zijn hand en opent zijn raam
en de schrijver herinnert zich weer de schoonheid van genade
en van niet schrijven, niet denken en niet zijn,
gonst als een hommel tussen de vitrages en verdwijnt
in het grote, blauwe niets.

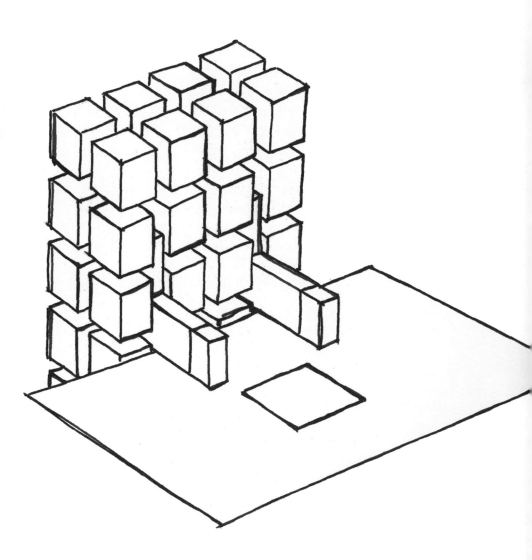

De lezer wordt schrijver,
trekt de kleren van de schrijver aan,
eet zijn brood,
zit aan zijn bureau,
buigt zich over zijn papier –
verwondert zich over de immense, tot voorbij de horizon zich
                                    uitstrekkende, oogverblindende witheid ervan –

neemt zijn pen in de hand,
denkt wat de schrijver denkt,
voelt wat de schrijver voelt (onder andere: pijn)
en wacht
            tot iemand hem stoort

maar niemand stoort hem,
hij wacht tevergeefs.